# Balloon

# 氣球造型

## 裝飾篇

張德鑫 ★ 著

# 作者序

　　《氣球造型裝飾篇》是我的第六本氣球創作書籍，在漫長的兩年中一共出了四本魔術、六本氣球書籍，十本書當中的主題類別，各有獨自風格。

　　本書中會教一些編織法和許多可愛造型，如果你喜歡用氣球佈置現場，或常折氣球充當禮物的朋友們，可別錯過這本《氣球造型裝飾篇》！因為本書將會讓你在人群中大受歡迎，在佈置現場時「得心應手」。


　　　　　　　　　　　　　　　Magic Hanson 張德鑫

　　　　　　　　　　　　　　　　　於 2003/11 台北

# 目　錄

# 氣球造型裝飾篇

## 1.氣球種類

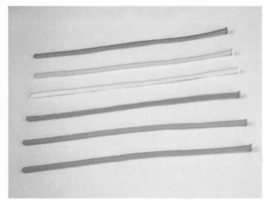

*1.* (260 長條氣球)是氣球造型中最常使用的
氣球。

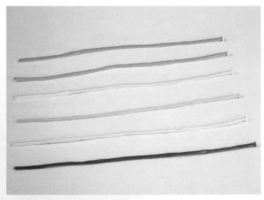

*2.* (160 長條氣球)充氣後，比 260 長條氣球
細長。

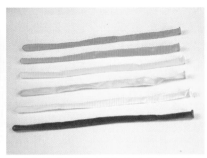

3.（350 長條氣球）為 160、260、
　350 長條氣球中最粗短的，通常
　是用在大型組合造型上。

4.(11 吋心型氣球)本書中波斯貓的
　頭部，就是用 11 吋心型氣球做
　的。

5.(321 蜜蜂氣球和 5 吋圓型氣球)
　321 蜜蜂氣球，通常是用在蜜蜂
　和蚊子上，5 吋圓型氣球則常用
　在動物眼睛上。

# 2.如何打氣

1. 上為雙向打氣筒，推下去和拉回來都會充氣；下為單向打氣筒，只有拉出再推下時才能充氣。

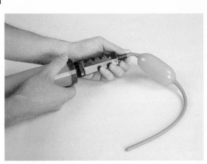

2. 將氣球放入打氣筒的前端，左手按住連接處，右手抓住後端把手，前後推動。

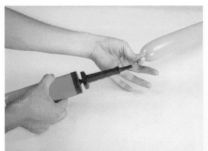

3. 充氣後，左手拇指和食指將氣球吹嘴頭捏住，並取出打結。

# 3.如何打結

1. 右手按住吹嘴頭，左手按住氣球
   頂端。

2. 右手將氣球吹嘴按住並繞過左手
   的食指。

3. 左拇指按住氣球吹嘴處。

4.左手食指和中指將氣球撐開，右
　手拇指再把吹嘴頭擠入。

5.擠入後，右手按住吹嘴頭，左手
　食指和中指離開。

6.完成。

# 4.單泡泡結

1. 左手按住氣球頂端，右手捏著
   3 公分泡泡處。

2. 左手保持不動，右手再捏著 3 公
   分泡泡時，向右旋轉三圈。

3. 同樣的動作重覆做，只要按住第
   一顆和最後一顆泡泡，即可使氣
   球不恢復原樣。

# 5.環結

1.左手將氣球握住。

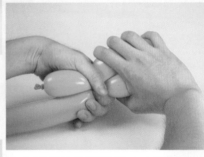

2.右手捏住所需要的大小而變化。

3.右手捏住所需要的大小後,向
　右旋轉三圈。

4.完成環結。

# 6.雙泡泡結

*1.* 折三個相同大小的泡泡。

*2.* 將第二個和第三個泡泡對齊。

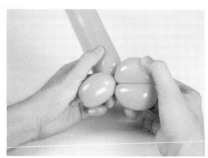

*3.* 對齊後，往右旋轉三圈。

*4.* 完成雙泡泡結。

# 7.三泡泡結

*1.* 折三個相同大小的泡泡。

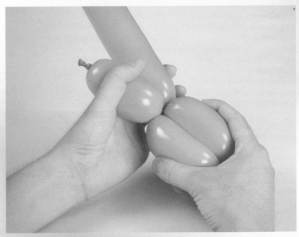

*2.* 將第二個和第三個泡泡對齊。對齊後，往右旋
　　轉三圈。

3.再折一個相同大小的泡泡。

4.將第四個泡泡往第二個和第三個
泡泡中間擠進。

5.調整後,即完成三泡泡結。

# 8.耳結

1. 折一個 5 公分和一個 3 公分泡泡。

2. 左手握住氣球兩側，右手拇指和食指扣住 3 公分泡泡，再捏轉三圈。

3. 完成耳結。

# 9.雙耳結

*1.* 折兩個 3 公分泡泡。

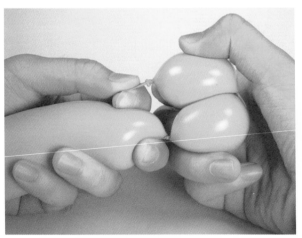

*2.* 左手拇指和食指捏住氣球吹嘴頭，右手按住兩個 3 公分泡泡。

3.接著右手將兩個3公分泡泡，往
　右旋轉三圈，成為雙泡泡結。

4.再以雙手的拇指和食指，把雙泡
　泡結的中間拉開，再左右扭轉兩
　圈。

5.完成雙耳結。

# 10.分開結

1. 折五個泡泡，分別為 5、3、3、3、5 公分。

2. 將吹嘴頭往最後一個泡泡尾端打結。

3. 打結後，如圖。

4.先將第四個 3 公分泡泡折成耳
　結，再捏轉八圈。

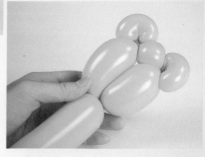

5.再把第二個 3 公分泡泡折成耳
　結，再捏轉八圈。

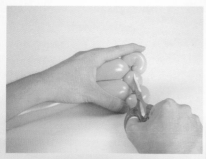

6.左手按住氣球，右手拿剪刀刺
　破中央第三個 3 公分泡泡。

7.完成分開結。

# 11.鬱金香結使用法㈠

1.將氣球充氣,約 5 公分。

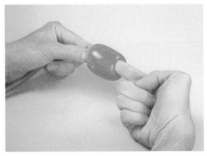

2.右手食指由吹嘴處插入,左手捏住插入後的吹嘴頭。

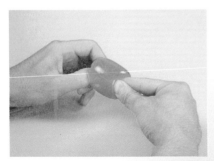

3.然後右手姆指幫肋食指離開氣球中。

4.離開後,左手捏住插入後的吹
　嘴頭不放。

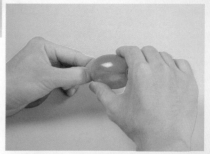

5.接著,右手將氣球旋轉三圈即可
　固定。

6.固定後,如圖。

7.再做六個不一樣顏色的鬱金香,
　手握著根部,看起來就像是一束
　七彩繽紛的鬱金香了。

# 12.鬱金香結使用法㈡

1. 將氣球充氣並打結，尾留 12 公分。

2. 右手食指由吹嘴處插入，左手捏住插入後的吹嘴頭。

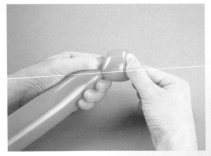

3. 然後右手拇指幫助食指離開氣球中。

4.離開後，左手捏住插入後的吹嘴
　頭不放。

5.接著，右手將氣球旋轉三圈即可
　固定。

6.固定後，如圖。

# 13.鬱金香結使用法㈢

*1.*將兩條氣球充氣並打結，尾留
12 公分。

*2.*右手食指抓著橘色氣球的吹嘴頭
，由左手紫色氣球的吹嘴處插入
，接著左手捏住插入後的吹嘴頭
。

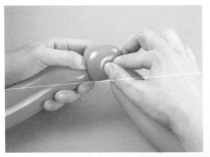

*3.*然後右手拇指幫助食指離開氣球
中。

4.離開後,左手捏住插入後的吹
　嘴頭不放。

5.接著,右手將左手的紫色氣球旋
　轉三圈,即可固定。

6.固定後,如圖。

7.本書中波斯貓的頭和脖子,就是
　用這種方法組合的。

# 14.雙色環繞法

1. 將兩條氣球充氣並打結，尾留 2 公分。

2. 然後把兩條氣球的吹嘴處，互相打結。

3. 左手捏住兩條氣球的 3 公分處，並旋轉打結。

4.旋轉打結後,如圖。

5.黃色氣球由上而下,圍繞著橘色
氣球。

6.接著,橘色氣球由上而下,圍繞
著黃色氣球。

7. 以此類推互相的圍繞著，直到
無法再圍繞為止。

8. 無法再圍繞時的最後 3 公分處，
旋轉打結，即可固定。

9. 接著把雙色氣球的頭、尾處互
相打結後，如圖。

10. 最後再把雙色氣球的頭、尾處做
修飾，即可當帽子或花圈使用。

# 15.三色編織法

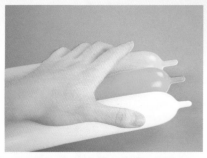

1.將三條氣球充氣並打結，尾留
　2公分。

2.左手捏住三條氣球的3公分處，
　並旋轉打結。

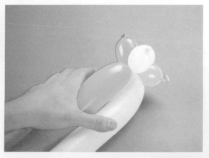

3.旋轉打結後，如圖。

4.如圖，橘色氣球在中下方，黃色氣球在左上方，白色氣球在右上方。

5.接著，左邊的黃色氣球由上而下，圍繞著橘色氣球。

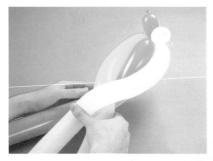

6.然後，右邊的白色氣球由上而下，圍繞著黃色氣球。

7.再來是左邊的橘色氣球由上而
　下，圍繞著白色氣球。

8.接著，右邊的黃色氣球由上而
　下，圍繞著橘色氣球。

9.再來是左邊的白色氣球由上而
　下，圍繞著黃色氣球。

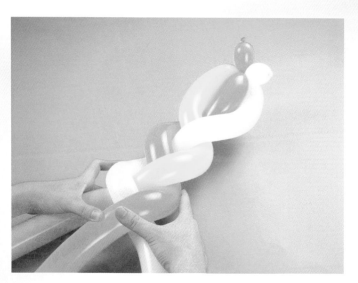

10.接著,右邊的橘色氣球由上而下,圍繞著白色氣球。

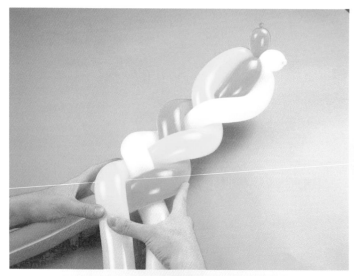

11.然後,左邊的黃色氣球由上而下,圍繞著橘色氣球。

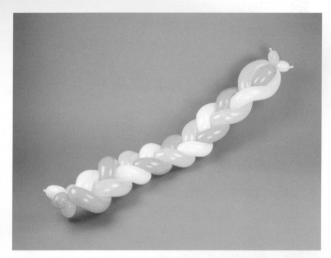

12.橘、黃、白三色互相的圍繞著，以此類推，直到無法再圍繞為止。在無法再圍繞時的最後 3 公分處，旋轉打結即可固定。

13.最後再把三色氣球的頭、尾處互相打結，即可當帽子或花圈使用。

# 16.波斯貓

1. 準備一條白色 260 長條氣球和一條白色 11 吋的心型氣球。

2. 先將白色 11 吋的心型氣球充氣並打結,如圖。

3. 再將白色 260 長條氣球充氣並打結,尾留 8 公分。

4.接著拿起頭部，準備與長條氣球
　吹嘴處組合。

5.首先右手食指將心型氣球的吹嘴
　處，塞入260長條氣球吹嘴處中
　。

6.塞入260長條氣球後，左手捏緊
　心型氣球的吹嘴處，於260長條
　氣球中的3公分處，右手的拇指
　及中指則幫助食指離開。

7. 然後右手捏著 260 長條氣球的 3
公分處，並且往右旋轉三圈。

8. 旋轉三圈後，再鬆放時，自然會
固定。

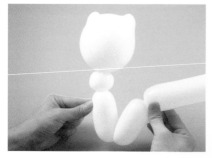

9. 接著折兩個 7 公分泡泡。

10.然後把兩個 7 公分泡泡折成雙
　　泡泡結，即完成前腳。

11.折完前腳後，折一個 10 公分泡
　　泡，當身體，及折兩個 12 公分
　　泡泡當後腳。

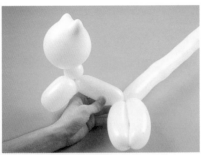

12.然後把兩個 12 公分泡泡折成
　　雙泡泡結，即完成後腳。

13.再把尾巴從後往內折。

14.鬆放時，如圖。

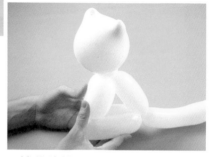

15.接著將前腳的兩個 7 公分泡泡，
　擠進後腳的兩個 12 公分泡泡
　中。

16.擠進後，如圖。

17.最後再畫上貓的五官，即完成高
　貴的波斯貓。

# 17.可愛的小雞

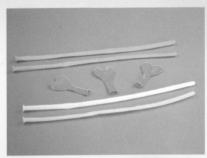

1. 準備一條白色、一條黃色、兩條橘色的 260 長條氣球,和三個紅色 5 吋心型氣球。

3. 折兩個 7 公分泡泡,並折成雙泡泡結。

2. 先取一條黃色的 260 長條氣球,將氣球充氣並打結,尾留 12 公分。

4. 再折一個 3 公分泡泡,並折成耳結。

5. 折成耳結後，折一個 7 公分泡泡。

6. 如圖，將剛折好的 7 公分泡泡，擠進兩個 7 公分泡泡中。

7. 擠進兩個 7 公分泡泡後，即完成三泡泡結。

8. 接著折一個 4 公分泡泡和兩個 8 公分泡泡。

9.然後把兩個8公分泡泡折成雙
　泡泡結。

10.再折一個4公分泡泡和一個3公
　分耳結。

11.將3公分泡泡折成耳結後,再
　折一個4公分泡泡和兩個7公
　分泡泡,如圖。

12.然後把兩個7公分泡泡折成雙泡
　泡結。

13.折成雙泡泡結後，剩下的小泡
　泡往 8 公分雙泡泡結中圍繞固
　定。

14.圍繞固定後，如圖。

15.接著取一條白色 260 長條氣
　球，氣球充氣後只留 14 公
　分，再把 14 公分分成一半，
　如圖。

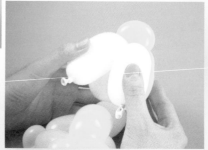

16.將分成一半的白色泡泡中央，與
　黃色三泡泡結上的耳結、圍繞固
　定。

17.圍繞固定後，將白色氣球吹嘴
處與尾處打結，打結後把白色
氣球吹嘴處與黃色三泡泡結，
圍繞固定。

18.圍繞固定後，如圖。

19.接下來取一條橘色260長條氣
球，將氣球充氣並打結，尾留
15公分。

20.然後折一個4公分泡泡，和一個
8公分環結。

21.再折一個 8 公分環結。

22.把剩餘的氣球剪掉並打結,如
　　圖。

23.黃色和橘色氣球準備組合。

24.如圖,將橘色氣球圍繞固定在白
　　色氣球的下方,即完成嘴巴。

25.接著取三個紅色5吋心型氣球
，如圖充一點點氣並打結。

26.將兩個心型氣球插在白色泡泡的
中央，再把最後一個心型氣球插
在橘色4公分泡泡的下方，即完
成小雞的上半身。

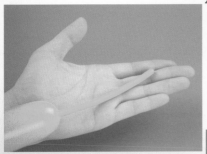

27.再取最後一條黃色的260長條
氣球，將氣球充氣並打結，尾
留13公分。

28.先折兩個9公分泡泡。

29.然後再把兩個 9 公分泡泡折成
雙泡泡結，再折一個 3 公分耳
結。

30.接著折兩個 4 公分泡泡和一個 3
公分耳結。

31.折好 3 公分耳結後，折兩個 9
公分泡泡。

32.然後把兩個 9 公分泡泡折成雙泡
泡結。

33.最後把剩餘的氣球剪掉並打結
，即完成腳。

34.腳與身體準備組合。

35.兩個橘色4公分泡泡的中央、
與黃色氣球下方3公分耳結處
，圍繞固定。

36.圍繞固定後，在白色氣球中畫上
水汪汪的雙眼，即完成可愛的小
雞。

37.完成後的側面。

38.完成後的背面。

39.完成後的可愛的小雞只要其中一
　腳放入硬幣，有了重量後自然可
　以單腳站立。

# 18.河馬

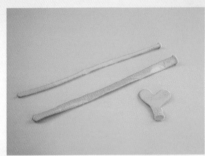

1. 準備一條橘色的 260 和 350 長條氣球，及一條橘色的 7 吋心型氣球。

2. 先取一條橘色的 260 長條氣球，將氣球充氣並打結，尾留 12 公分。

3. 折六個泡泡，分別為 2、5、2、4、2、5 公分泡泡。

4. 如圖，將兩個 5 公分泡泡打結。

5.打結後，把右下方的 2 公分泡
泡折成耳結。

6.再把右上方的 2 公分泡泡折成耳
結。

7.然後折四個 7 公分泡泡。

8.將第一個 7 公分泡泡的頭處，與
最後一個 7 公分泡泡的尾處打結
。

9.氣球的尾端折一個 2 公分泡泡
。

10.如圖，把 2 公分泡泡與四個 7 公
分泡泡中下方處，圍繞固定。

11.接著取一條橘色的 7 吋心型氣
球，將氣球充氣並打結，充氣
大小如圖。

12.拿起身體，準備組合。

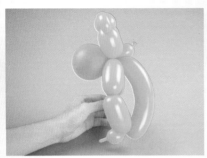

*13.* 如圖處，圍繞固定。

*14.* 接著取一條橘色的 350 長條氣
球，將氣球充氣約手掌大並打
結。

*15.* 把剩餘的氣球剪掉並打結。

*16.* 拿起身體，準備組合。

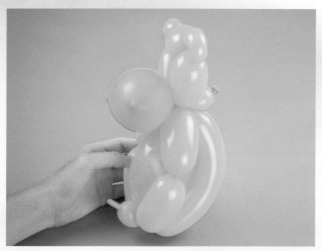

17.如圖，把 350 長條氣球塞入四個 7 公分泡泡的中
　央。

18.把 350 長條氣球塞入後的正面。

*19.*畫上五官，即完成一河馬。

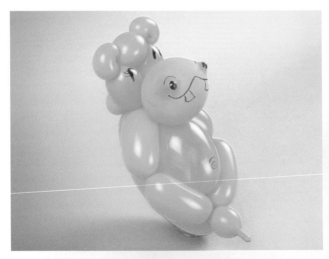

*20.*完成後的側面（河馬的五官特徵必須詳細的畫出，
　　不然可能就不像河馬了）。

# 19.黑蝙蝠帽

1.首先準備五條黑色的 260 長條氣
球，先取一條氣球，將氣球充氣
並打結，尾留 12 公分。

2.先折兩個 3 公分泡泡。

3.再折五個泡泡，分別為 4、2、
3、2、4 公分泡泡。

4.如圖，將兩個 4 公分泡泡打結。

5.接著把吹嘴處的 3 公分泡泡擠
　入中央。

6.擠入中央後的另一面如圖。

7.先將右上方的 2 公分泡泡折成
　耳結。

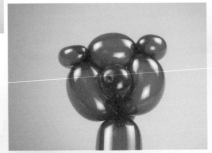

8.再將左上方的 2 公分泡泡折成耳
　結，即完成蝙蝠的頭部。

9. 然後折三個泡泡，分別爲 10、
2、10 公分泡泡。

10. 將兩個 10 公分泡泡打結。

11. 把下方的 2 公分泡泡折成耳結。

12. 然後折一個 10 公分泡泡。

13. 將 10 公分泡泡與 2 公分耳結
　　圍繞固定。

14. 圍繞固定後,把剩餘的氣球剪掉
　　並打結,即完成蝙蝠的身體。

15. 再取一條氣球,將氣球充氣並
　　打結,尾留 3 公分。

16. 吹嘴處與尾端打結,成為一個圓
　　圈。

17.如圖，將氣球分成一半，成為兩
　個小圓圈。

18.再將右半邊的左上方折一個 15
　公分泡泡。

19.再將左半邊的右上方折一個15
　公分泡泡，即完成蝙蝠的翅膀
　。

20.接著拿起身體，準備與翅膀組合
　。

21.翅膀的中央由脖子後方擠入並調整如圖。

22.再剪取兩條氣球的尾端約 10 公分，將兩條氣球充氣約
　 2 公分並打結，兩條氣球的尾端處留 1 公分，如圖。

23.接著拿起身體，將完成的兩個耳朵，組合在左右兩
邊的 2 公分耳結上，即可。

24.最後用貼紙剪下眼睛和牙齒形狀，貼上即完成黑蝙
蝠。

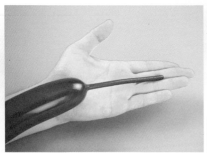

25.取一條氣球，將氣球充氣並打
　結，尾留 12 公分。

26.折一個 3 公分單耳結。

27.再把剩餘的氣球剪掉並打結，如
　圖。

28.接著單耳結與尾處，圍繞固定。

29.接著拿起黑蝙蝠,準備與帽子
   組合。

30.組合後,即完成一黑蝙蝠帽。

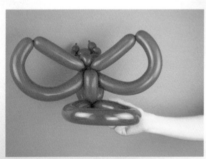

31.完成後的背面,如圖。

32.完成後的正面,如圖。

# 20.愛的幸運權杖

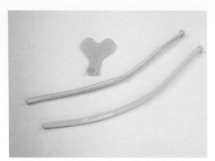

1. 準備一條紫色和一條綠色的 260 長條氣球，及一條橘色的 7 吋心型氣球。

2. 先取一條綠色的長條氣球，將氣球充氣並打結，尾留 3 公分。

3. 如圖，把氣球彎曲約 6 公分。

4.然後把彎曲的6公分地方，折成
　環結。

5.接著，再折一個6公分環結。

6.再折最後一個6公分環結，完成
　幸運權杖。（爲何稱之幸運權杖
　？因爲頭部的三個環結與幸運草
　很像，所以就取名爲幸運權杖。
　）

7.取一條橘色的 7 吋心型氣球，將
　氣球充氣並打結。

8.接著拿起幸運權杖，準備與愛心
　組合。

9.組合後，如圖。

10.再取一條紫色的長條氣球，將氣
　球充氣並打結，尾留 2 公分。

11.先把吹嘴處及尾端打結。

12.再把氣球彎曲，如圖。

13.彎曲後，再將氣球拉撐，直到
　心的形狀出現爲止。

14.最後拿起幸運權杖，與長條心
　形組合，即完成一愛的幸運權
　杖。

# 21.愛的蝴蝶結

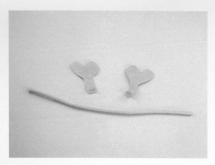

1. 準備一條橘色的 260 長條氣球，
   及兩條橘色的 7 吋心型氣球。

2. 先取一條橘色的 7 吋心型氣球，
   將氣球充氣並打結，大小如圖。

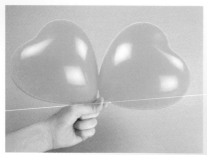

3. 再取一條橘色的 7 吋心型氣球，
   充氣與前者大小相同。

4.把兩條橘色心型氣球的吹嘴處互
　相打結。

5.互相打結後，如圖。

6.再取一條橘色的260長條氣球，
　將氣球充氣並打結，尾留13公
　分。

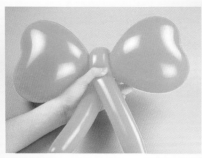

7. 橘色 260 長條氣球的一半，圍
繞著 7 吋心型氣球的中央。

8. 接著，折一個環結。

9. 再把右邊剩餘的氣球剪掉、修
飾並打結，如圖。

10. 最後把 260 長條氣球彎曲即完成
一愛的蝴蝶結。

# 22.愛的天鵝花朵

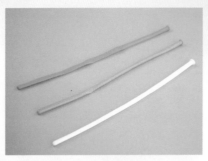

1. 準備三條 260 長條氣球,分別
　為綠色、紫色和白色。

2. 先取白色氣球,將氣球充氣並打
　結,尾留 8 公分。

3. 先折一個 3 公分泡泡。

4.如圖，3 公分泡泡圍個圓圈並打結。

5.左手捏住圓圈的中央，右手將其中一邊旋轉固定。

6.旋轉固定後，如圖。

7.將其中一邊的圓圈，由上而下的
　擠入另一邊的圓圈中。

8.擠入後，如圖。

9.接著，將3公分泡泡擠入圓圈底
　下的中央。

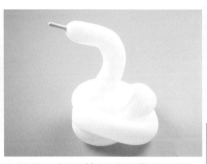

10.然後，把天鵝的脖子彎曲如圖
。

11.再畫上眼睛即可。

12.再取紫色氣球，將氣球充氣並
打結，尾留2公分並如圖擠入
天鵝尾巴中。

13.將紫色氣球彎曲如圖。

14.彎曲後，如圖。

15.再取綠色氣球，將氣球充氣並打結，尾留 3 公分。

16.如圖，把氣球彎曲約 6 公分。

17.然後把彎曲的 6 公分地方，折成環結。

*18.*接著，再折一個 6 公分環結。

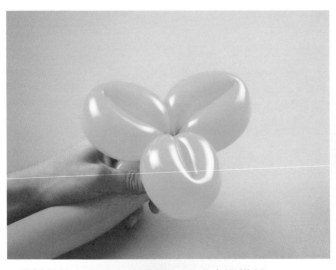

*19.*再折最後一個 6 公分環結，完成幸運權杖。

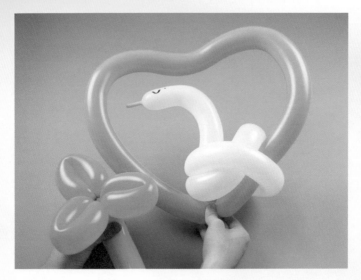

20.最後拿起幸運權杖，與愛心天鵝組合。

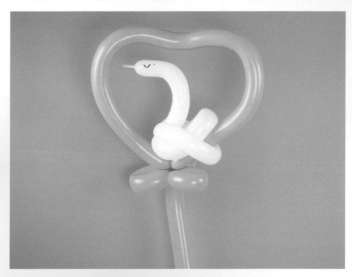

21.組合後，即完成一愛的天鵝花朵。

# 23.幸運花束

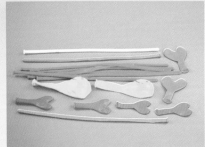

1. 準備七條綠色 260 長條氣球，一條紫色、白色和兩條橘色的 260 長條氣球，兩條橘色的 7 吋心型氣球，兩條紫色、紅色的 5 吋心型氣球，及兩條圓形 12 吋微笑黃色氣球。

2. 先取一條綠色氣球，將氣球充氣並打結，尾留 3 公分。

3. 如圖，把氣球彎曲約 6 公分。

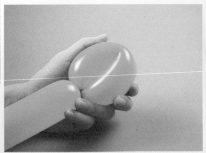

4. 然後把彎曲的 6 公分地方折成環結。

5.接著,再折一個6公分環結。

6.再折最後一個6公分環結,完成
　幸運權杖。

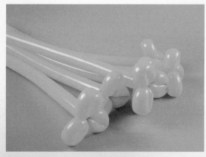

7.連續折六個幸運權杖。

8.如圖,將兩條紫色、紅色的5吋
　心型氣球,及兩條圓形12吋微
　笑黃色氣球充氣並打結。

9.充氣並打結後,與六個幸運權杖組合。

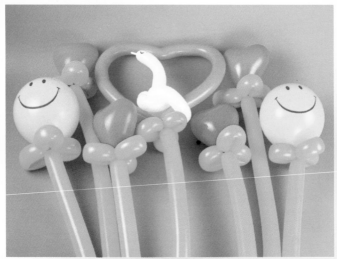

10.中央加個愛的天鵝花朵 。(作法請參考 22.愛的天鵝花
朵)

11.用一條橘色的 260 長條氣球，把幸運花束圍繞在
一起並打結。

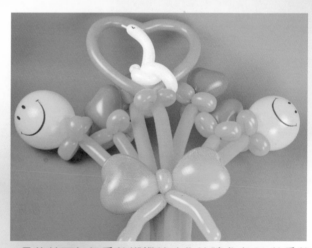

12.最後前面加個愛的蝴蝶結（作法請參考 21.的愛的
蝴蝶結），然後把圍繞在幸運花束的橘色 260 長
條氣球，套在愛的蝴蝶結即可，最後再調整如圖
，即完成一幸運花束。

# 24.繽紛的花籃

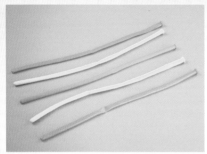

1. 準備五條 260 長條氣球，分別為兩條紫色、兩條黃色和一條藍色。

2. 先取一條紫色氣球，將氣球充氣並打結，尾留 9 公分後，折一個 3 公分泡泡。

3. 然後 3 公分泡泡圍繞著幸運花束一圈並打結，如圖。

4.接著取一條黃色氣球，將氣球
　充氣並打結，尾留 15 公分左
　右，折一個 3 公分泡泡，然後
　3 公分泡泡圍繞著幸運花束一
　圈，紫色氣球則折 3 公分泡泡
　。

5.黃色 3 公分泡泡圍繞著幸運花束
　一圈後，與紫色 3 公分泡泡尾端
　打結。

6.打結後，把 3 公分泡泡折成耳
　結，及把剩餘的氣球剪掉並打
　結，如圖。

7.接著取一條藍色氣球,將氣球
　充氣並打結,尾留 15 公分,
　作法如圖 4～圖 5。

8.打結後,把藍色 3 公分泡泡折成
　耳結,且把剩餘的氣球剪掉並打
　結,如圖。

9.再取一條黃色氣球,作法如圖
　4～圖 6。

10.再取最後一條紫色氣球，作法
　　如圖 4～5。

11.最後把剩餘的氣球剪掉並確實打
　　結，和將最上面的紫色 3 公分泡
　　泡、折成耳結，即完成繽紛的花
　　籃。

12.完成後的正面，如圖。

13.因為氣球底部太輕，風一吹可能
　　就會倒！所以必須在氣球底部加
　　重量。

14.準備一條11吋圓形氣球，將裡面
　塞滿小石頭或一堆一元硬幣……
　等有重量的小東西即可。

15.接著，把中央的幸運花束往上抽
　10公分。

16.然後將塞滿小石頭的氣球，塞入
　中央即可固定。

17.固定後,再將幸運花束稍作調整,即完成充滿愛意及祈福的賀禮
了。

# 25.公主帽

1. 準備一條紫色和一條黃色的 260 長條氣球，先取一條黃色氣球，將氣球充氣並打結，尾留 7 公分。

2. 然後折一個 3 公分單耳結。

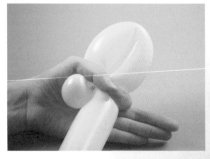

3. 接著把黃色氣球彎曲。

4.彎曲後，如圖折成環結。

5.再折一個相同大小的環結，完成
　單邊的蝴蝶結。

6.如圖的比例及位置，捏一個相同
　大小環。

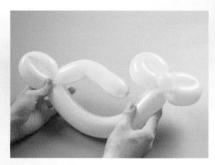

7.將環折成環結。

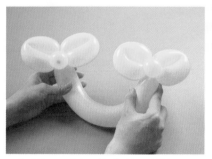

8.如圖 6～圖 7 的作法，再折一個
　相同大小的環結，即完成兩邊的
　蝴蝶結。

9.接著取一條紫色氣球，將氣球充
　氣並打結，尾留 8 公分。

10.然後折一個 3 公分單耳結。

11.再折兩個 9 公分泡泡。

12.將兩個 9 公分泡泡折成雙泡泡
　 結。

13.再折兩個 9 公分泡泡。

14.將兩個 9 公分泡泡折成雙泡泡結。

15.接著折五個泡泡，分別為 7、3、3、3、7 公分泡泡。

16.然後將兩個 7 公分泡泡折成雙泡泡結。

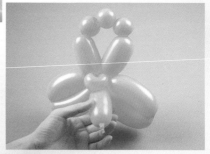

17.再折一個 3 公分耳結。

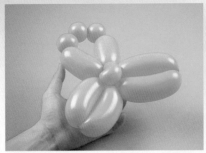

18. 折完耳結後，把剩餘的氣球剪掉並打結。

19. 拿起黃色氣球，準備與紫色氣球組合。

20. 先將黃色其中一邊的 3 公分泡泡，擠入固定在紫色氣球的 9 公分雙泡泡結中。

21. 再把黃色氣球另一邊的 3 公分泡泡，擠入固定在紫色氣球另一邊的 9 公分雙泡泡結中，完成小女生的最愛一公主帽。

# 26.幽靈帽

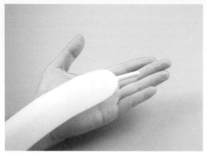

1.準備兩條白色 260 長條氣球，
　先取一條氣球，將氣球充氣並
　打結，尾留 4 公分。

2.折一個 11 公分，和一個 3 公分
　的泡泡。

3.將 3 公分的泡泡折成耳結。

4.接著把氣球彎曲。

5.彎曲後，如圖折成環結。

6.然後從氣球尾端處折一個 11 公
分的泡泡。

7. 接著與 3 公分耳結，圍繞固定。

8. 圍繞固定後，將下方的圓圈彎曲，如圖。

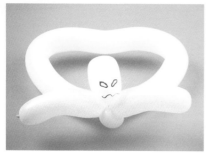

9. 彎曲後，畫上眼睛和嘴巴，即完成幽靈。

10. 取最後一條氣球，將氣球充氣並打結，尾留 5 公分。

11.先折一個 3 公分泡泡。

12.如圖，3 公分泡泡圍個圓圈並打結。

13.拿起幽靈，準備與帽子組合。

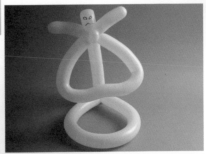

14.組合後，即完成一可怕的幽靈帽。

# 27.相愛的熊寶貝

1. 準備三條 260 長條氣球，分別爲
　紫色、藍色和紅色。

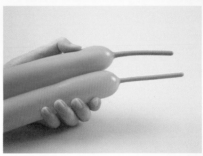

2. 取紫色和藍色氣球，將氣球充氣
　並打結，尾留 11 公分。

3. 先將藍色氣球折兩個 3 公分的泡
　泡。

4.再折五個泡泡，分別為 4、2、
　3、2、4 公分泡泡。

5.如圖，將兩個 4 公分泡泡打結。

6.接著把吹嘴處的 3 公分泡泡擠入
　中央。

7.擠入中央後的另一面如圖。

8.先將右上方的 2 公分泡泡折成耳
　結。

9.再將左上方的 2 公分泡泡折成耳
　結，即完成熊寶貝的頭部。

10.接著把藍色氣球彎曲。

11.彎曲後，如圖折成環結。

12.如藍色熊寶貝的頭部折法，再折一個紫色熊寶貝。

13.然後紫色氣球穿入藍色氣球的環結中。

14.接著把紫色氣球彎曲。

15.彎曲後，如圖折成環結。

16.然後藍色氣球穿入紫色氣球的環結中。

17.再將藍色氣球折兩個 10 公分泡泡。

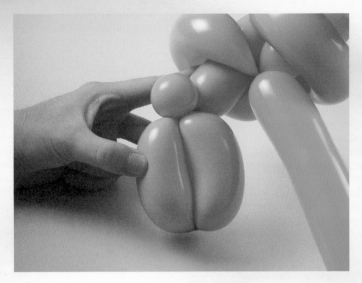

*18.*然後把兩個 10 公分泡泡折成雙泡泡結。

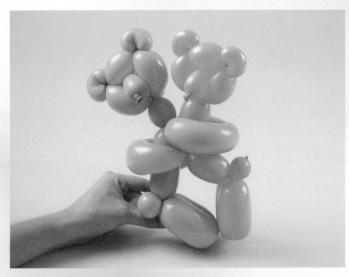

*19.*紫色氣球的作法，同圖 17～圖 18。

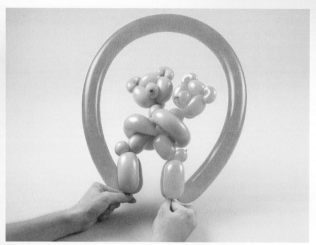

20.取最後一條紅色氣球,將氣球充氣並打結,尾留
　3 公分,如圖將紅色氣球的頭、尾處,與兩隻熊
　寶貝的腳部中央,圍繞固定。

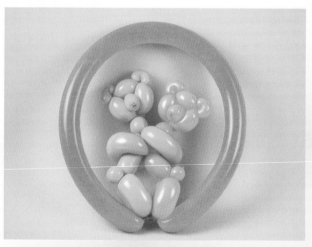

21.圍繞固定後,再將紅色氣球的頭、尾處打結,即
　完成一相愛的熊寶貝。

# 28.投籃帽

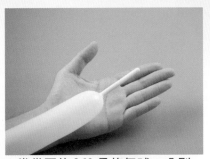

1. 準備兩條 260 長條氣球，分別為橘色和白色。先取用白色氣球，將氣球充氣並打結，尾留12 公分

2. 折一個 3 公分泡泡。

3. 如圖，3 公分泡泡圍個圓圈並打結。

4.打結後，把剩餘的氣球剪掉，
　成為一個圓圈。

5.再取橘色氣球，將氣球充氣並打
　結，尾留 3 公分。

6.折一個 3 公分泡泡。

7.如圖，3 公分泡泡圍個圓圈並打
　結。

8.接著一手將氣擠到尾端。

9.然後從尾端折一個3公分泡泡。

10.拿起白色圓圈,準備與橘色氣球組合。

11.組合後,即完成一投籃帽。

# 29.白雲

1. 將三條 260 白色氣球充氣並打結，尾留 2 公分。左手捏住三條氣球的 3 公分處，將三條氣球的 3 公分處，旋轉打結。

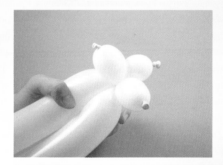

2. 旋轉打結後，如圖。

3. 首先將中間氣球往下壓。

4.接著，左邊的氣球由上而下，圍
　繞著中間氣球。

5.然後，右邊的氣球由上而下，圍
　繞著中間氣球。

6.再來是左邊的氣球由上而下，圍
　繞著中間氣球。

7.然後，右邊的氣球由上而下，
　圍繞著中間氣球。

8.接著左邊的氣球由上而下，圍繞
　著中間氣球。

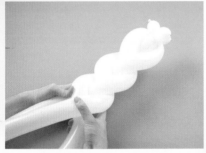

9.然後，右邊的氣球由上而下，
　圍繞著中間氣球。

10.以此類推，直到無法再圍繞為
　止。在無法再圍繞時的最後3公
　分處，旋轉打結即可固定。固定
　後，即完成一白雲。

# 30.彩紅

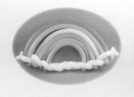

1. 準備九條 260 長條氣球，分別
爲紅、橘、黃、綠、藍、紫及
三條白色氣球。

2. 先取三條白色氣球充氣並打結，
尾留 2 公分。（折法請參考 29.
白雲）

3. 再取紅色氣球充氣並打結，尾留
2 公分。

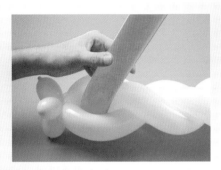

4.如圖位置，把紅色氣球的吹嘴處
　擠入白色氣球中。

5.再把紅色氣球的尾端擠入另一邊
　白色氣球中。

6.接著取橘色的氣球充氣並打結，
　尾留 5 公分。

7.如圖位置，把橘色氣球的吹嘴處
　擠入白色氣球中。

8.再把橘色氣球的尾端擠入另一邊
　白色氣球中。

9.再取黃色氣球充氣並打結，尾留
　7 公分。

10.如圖位置，把黃色氣球的吹嘴
　　處、擠入白色氣球中。

11.再把黃色氣球的尾端擠入另一邊
　　白色氣球中。

12.接著取綠色的氣球充氣並打結，
　　尾留 9 公分。

*13.*如圖位置，把綠色氣球的吹嘴
　　處擠入白色氣球中。

*14.*再把綠色氣球的尾端擠入另一邊
　　白色氣球中。

*15.*再取藍色的氣球充氣並打結，
　　尾留 11 公分。

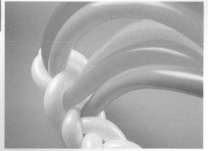

*16.*如圖位置，把藍色氣球的吹嘴處
　　擠入白色氣球中。

17.再把藍色氣球的尾端擠入另一邊
　白色氣球中。

18.再取最後的紫色氣球充氣並打結
　，尾留 13 公分。

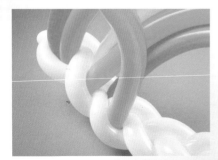

19.如圖位置，把紫色氣球的吹嘴處
　擠入白色氣球中。

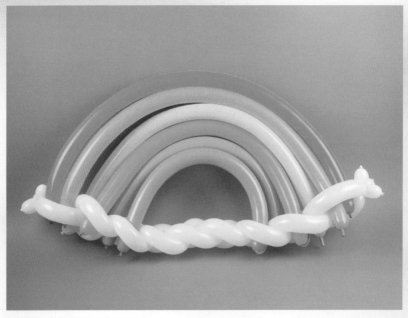

20.再把紫色氣球的尾端擠入另一邊白色氣球中,即完成一彩紅。

# 31.彩虹帽

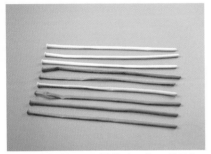

1. 準備九條 260 長條氣球,分別
   為紅、橘、黃、綠、藍、紫及
   四條白色氣球,和一條 7 吋心
   型紫色氣球。

2. 取最後的紫色氣球充氣並打結,
   尾留 2 公分。

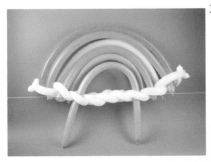

3. (虹折法請參考 30.彩虹)彩虹
   與彩虹帽的差別在最後的紫色氣
   球較長,如圖。

4.接著取一條白色氣球，充氣並打
　結，尾留 13 公分。

5.然後將白色氣球的頭、尾處打
　結。

6.打結後，拿起白色圓圈，準備與
　紫色氣球組合。

7.紫色氣球的吹嘴處折一個 3 公分
　泡泡，並與白色氣球打結。

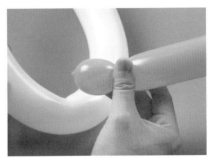

8.紫色氣球的尾端折一個 3 公分泡
　泡，並與白色氣球的另一邊打結
　。

9.接著取一條 7 吋心型紫色氣球，
　充氣並打結。

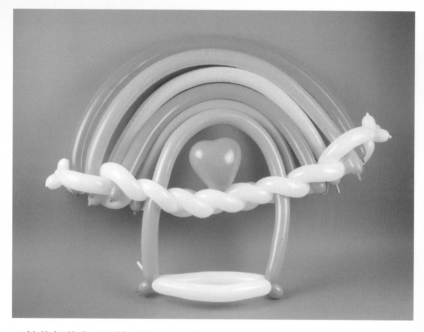

10.然後把紫色心型氣球固定在中央，即完成一彩虹帽。

# 32.六瓣花帽

1. 準備兩條 260 長條氣球，分別為綠色和紫色。

2. 先取紫色的氣球，將氣球充氣並打結，尾留 3 公分。

3. 把紫色氣球的吹嘴處和尾端打結。

4.接著，如圖將氣球彎曲成英文字
　母的 S 形狀。

5.放鬆後，自然會出現折紋，再以
　折紋折一個雙泡泡結。

6.然後以第一個雙泡泡結往下對齊
　後，再折一個雙泡泡結。

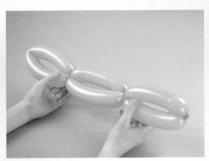

7.三個雙泡泡結大小須相同,不然
　花朵就不美了。

8.如圖,把三個雙泡泡結對齊及合
　攏。

9.合攏後,雙手用力往內壓,再用
　一手捏住中央。

10.捏住中央後，另一手則將氣球旋
　轉二圈。

11.旋轉固定後，如圖。

12.再取綠色的氣球，將氣球充氣並
　打結，尾留 8 公分。

13.然後把 3 公分泡泡,擠上最尾
　端。

14.拿起紫色花朵,準備與綠色 3 公
　分泡泡組合。

15.組合後,再折一個 12 公分和
　一個 3 公分泡泡。

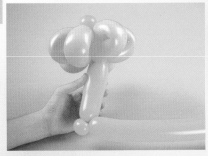

16.接著,將 3 公分泡泡折成耳結。

17.然後，綠色氣球的吹嘴處，折一個 3 公分泡泡。

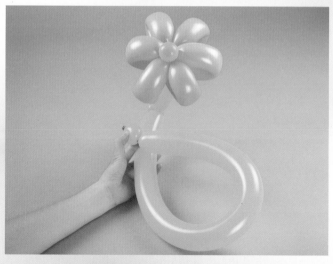

18.再把 3 公分泡泡圍個圈，並在 3 公分耳結處打結。

19.打結後，即完成美麗的六瓣花帽。

20.完成後的側面圖。

# 33.聖誕花圈

1. 準備三條260綠色氣球充氣並打結，尾留3公分。

2. 左手捏住三條氣球的3公分處。

3. 將三條氣球的3公分處，旋轉打結。

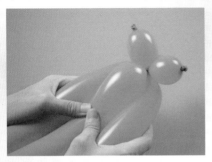

4.首先將中間氣球往下壓。

5.接著,左邊的氣球由上而下,圍
　繞著中間氣球。

6.然後,右邊的氣球由上而下,圍
　繞著中間氣球。

7.再來是左邊的氣球由上而下，
　圍繞著中間氣球。

8.然後，右邊的氣球由上而下，圍
　繞著中間氣球。

9.接著左邊的氣球由上而下，圍
　繞著中間氣球。

10.然後，右邊的氣球由上而下，圍
　繞著中間氣球。

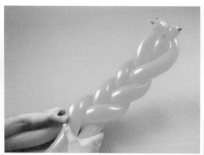

11.再來是左邊的氣球由上而下，圍
　繞著中間氣球。

12.以此類推，直到無法再圍繞爲止
　。在無法再圍繞時的最後3公分
　處，旋轉打結即可固定。

13.最後再把三條氣球的頭、尾處互
　相打結。

14.打結後，即完成一聖誕花圈。

# 34.聖誕蝴蝶結

1. 準備一條 260 紅色氣球充氣並打結，尾留 12 公分。

2. 先折一個 12 公分的泡泡及將氣球彎曲。

3. 彎曲後，如圖折成環結。

4.接著折一個 3 公分泡泡。

5.然後把 3 公分泡泡折成耳結。

6.再彎一個相同大小的環。

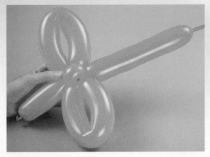

7.將環折成環結。

8.接著，折一個 3 公分耳結。

9.折完耳結後，折一個12公分的泡
　泡，將剩餘的氣球剪掉並打結，
　即完成紅色的一聖誕蝴蝶結。

# 35.聖誕燭光

1. 準備六條 260 長條氣球，分別
   為三條白色和三條橘色。先取
   一條橘色氣球，從尾端剪掉約
   8 公分，然後充氣約 3 公分並
   打結。

2. 取一條白色氣球充氣並打結，尾
   留 15 公分。

3. 接著，右手食指將橘色氣球的吹
   嘴處塞入白色氣球的吹嘴處中。

4. 然後,左手捏緊白色氣球吹嘴處
　　的3公分處,右手的拇指及中指
　　則幫助食指離開。

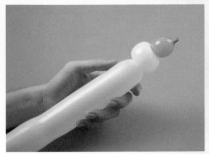

5. 然後右手捏著白色氣球的3公分
　　處,並且往右旋轉三圈。旋轉三
　　圈後,再放鬆時自然會固定。

6. 同樣的方法再做兩支蠟燭,即完
　　成一聖誕燭光。

# 36.聖誕祈福花圈

1. 準備一個聖誕蝴蝶結、一個聖誕花圈和三支蠟燭。（以上折法請參考 33.、34.、35.）

3. 修剪後的大小如圖。

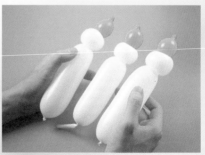

2. 做好的蠟燭，與聖誕花圈比對能放入後的長度，再作修剪。

4. 再做兩支同樣大小的蠟燭。

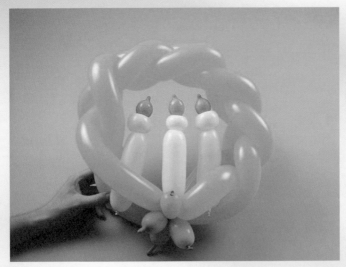

5.如圖位置，將三支蠟燭擠入聖誕花圈中。

6.接著拿起聖誕蝴蝶結， 準備與聖誕花圈組合。

7. 綠色花圈中抓著其中一條較長尾端，與紅色蝴蝶結
　的中央，環繞固定。

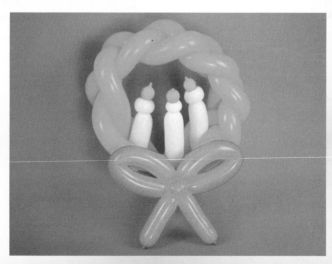

8. 環繞固定後，即完成一聖誕祈福花圈。

# 37.卡通金絲雀

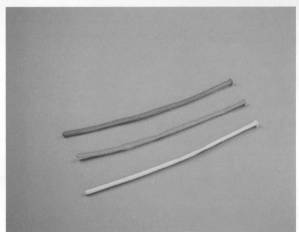

1. 準備三條 260 長條氣球，分別為紅、橘、黃三
　色。

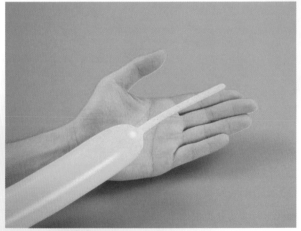

2. 先取一條黃色氣球，將氣球充氣並打結，尾留
　12 公分。

3.接著折三個 7 公分泡泡。

4.然後把第二和第三個 7 公分泡泡
　折成雙泡泡結。

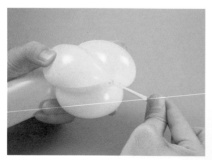

5.第一個 7 公分泡泡的吹嘴處,與
　雙泡泡結打結固定。

6.如圖大小，將氣球彎曲。

7.彎曲後，如圖折成環結。

8.再折一個相同大小的環結。

9.接著折一個 3 公分耳結。

10.再折五個泡泡，分別為 3、8、8、8、3 公分泡泡。

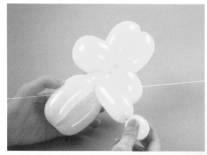

11.然後把第二和第三個 8 公分泡泡折成雙泡泡結。

*12.*再把第四個 8 公分泡泡擠入 8 公
分泡泡雙泡泡結中。

*13.*擠入後，即完成身體。

*14.*再取一條橘色氣球，將氣球充氣
並打結，尾留 12 公分。

15.先折一個 3 公分泡泡，並折成耳
　結。

16.如圖大小，將氣球彎曲。

17.彎曲後，如圖折成環結。

18.再折兩個 3 公分泡泡。

19.接著折一個與左邊相同大小的環
　結。

20.然後折一個 3 公分泡泡，並折成
　耳結。

21.把剩餘的氣球剪掉並打結，即完
　成雙腳。

22.接著拿起身體，準備與雙腳組合。

23.雙腳的中央與黃色 3 公分泡泡底部，環繞固定。

24.然後把剪掉剩餘的橘色氣球充氣約 10 公分，並折兩個 3 公分泡泡。

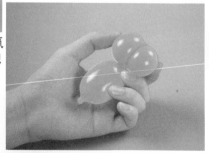

25.再把兩個 3 公分泡泡折成雙泡泡結。

26.接著把雙泡泡結，折成雙耳結。

27.最後把剩餘的氣球剪掉並打結，
即完成嘴巴。

28.接著拿起身體，準備與嘴巴組
合。

29.組合後，如圖。

30.最後畫上眼睛，即完成金絲雀。

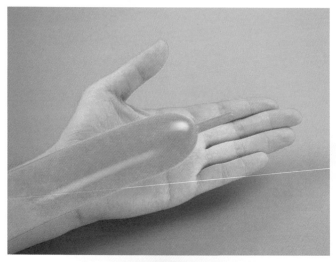

31.取最後一條紅色氣球，將氣球充氣並打結，尾留3公
　分。

*32.*如圖將紅色氣球的頭、尾處，與金絲雀腳部中央的黃
　　色 3 公分泡泡，環繞固定。

*33.*環繞固定後，即完成一卡通金絲雀。

# 38.紅鶴帽

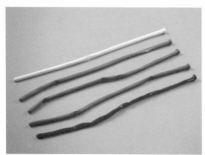

1. 準備五條 260 長條氣球，分別
   為紅色三條，白色與黑色各一
   條。

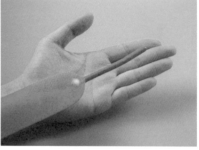

2. 先取一條紅色氣球，將氣球充氣
   並打結，尾留 12 公分。

3. 折四個泡泡，分別為 3、6、3
   、6 公分泡泡。

4. 再將兩個 6 公分泡泡折成雙泡泡
   結。

5.然後把上方的3公分泡泡折成
　耳結。

6.接著如圖大小,將氣球彎曲。

7.彎曲後,如圖折成環結。

8.再折一個相同大小的環結。

9. 接著取一條白色氣球，氣球充氣後只留 12 公分，再把 12 公分分成一半，如圖。

10. 然後將分成一半的白色泡泡中央，與紅雙泡泡結上的耳結，圍繞固定。

11. 圍繞固定後，將白色氣球吹嘴處與尾處打結，打結後把白色氣球吹嘴處與紅色雙泡泡結，圍繞固定。

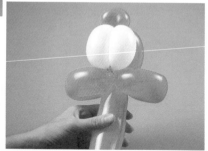

12. 圍繞固定後，如圖。

13.再取一條黑色氣球，氣球充氣
　後只留 18 公分，再折一個 7
　公分泡泡，如圖。

14.將黑色氣球吹嘴處與尾處打結。

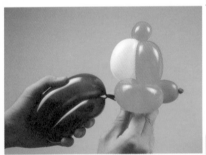

15.打結後，拿起做好的頭部，準
　備與嘴巴組合。

16.組合後，如圖。

17.再取最後的兩條紅色氣球,將氣球充氣並打結,尾端留4公分。

18.接著兩條紅色氣球,各折一個3公分泡泡。

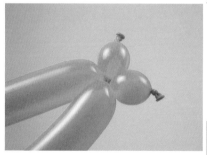

19.再將兩個3公分泡泡打結。

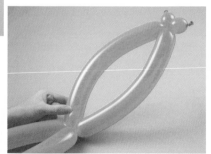

20.打結後,圍著自己頭部大小折個圈。

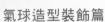

21.再把兩邊的尾端，與兩邊的 3
公分泡泡打結。

22.打結後，如圖。

23.接著兩邊的 3 公分泡泡折成耳
結，即完成身體。

24.拿起頭部，將脖子彎曲並在尾端
折一個 3 公分泡泡。

25.然後拿起做好的身體，準備與
　脖子組合。

26.組合後，如圖。

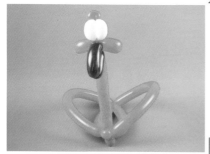

27.組合後的正面，如圖。

28.如圖位置，折一個泡泡。

29.另一邊位置，也折一個同樣的泡泡。

30.在白色氣球中，畫上水汪汪的雙眼。

31.完成一紅鶴帽。

32.帶上紅鶴帽的神氣模樣,如圖。

國家圖書館出版品預行編目資料

氣球造型裝飾篇／張德鑫編著．
第一版 －－臺北市：宇河文化 出版；
紅螞蟻圖書發行，2004〔民93〕
面　　　公分，－－(新流行;8)
ISBN 957-659-417-0 (平裝)

1.氣球
999　　　　　　　　　　　92024012

新流行 08

# 氣球造型裝飾篇

作　　者／張德鑫

發 行 人／賴秀珍

榮譽總監／張錦基

總 編 輯／何南輝

文字編輯／林宜潔

美術編輯／林美琪

出　　版／宇河文化 出版有限公司

發　　行／紅螞蟻圖書有限公司

地　　址／台北市內湖區舊宗路二段 121 巷 28 號 4F

郵撥帳號／ 1604621-1　紅螞蟻圖書有限公司

電　　話／(02)2795-3656 ( 代表號 )

傳　　眞／(02)2795-4100

登 記 證／局版北市業字第 1446 號

法律顧問／通律法律事務所　楊永成律師

印 刷廠／鴻運彩色印刷有限公司

電　　話／(02)2985-8985．2989-5345

出版日期／ 2004 年 2 月　第一版第一刷

**定價 250 元**

**ISBN 957-659-417-0**　　　　**Printed in Taiwan**